Oh les beaux jours

SAMUEL BECKETT

Oh les beaux jours

LES ÉDITIONS DE MINUIT

ISBN : 978-2-7073-4583-7

PRÉSENTATION

Samuel Beckett (1906-1989), écrivain irlandais, séjourne à Paris dès la fin des années 1920 et s'y installe définitivement en 1937. À partir de 1945, il commence à écrire en français.

Le bilinguisme de Beckett, à la différence de celui d'un Nabokov ou d'un Conrad, n'est pas la conséquence d'un exil mais relève d'une disposition personnelle et choisie. De 1947 à 1949, il écrit une série de trois romans en français : *Molloy*, *Malone meurt* et *L'Innommable*, qui paraissent en 1951 et 1953. Cette trilogie inaugure une relation exemplaire avec les Éditions de Minuit, dirigées par Jérôme Lindon, qui restera son éditeur et ami jusqu'à sa mort.

Le français, disait-il, lui imposait une discipline, atténuait certaines pentes que son écriture pouvait avoir tendance à suivre en anglais. Recherchant l'économie plus que la virtuosité, il a pu répondre à un étudiant qui l'interrogeait sur le choix du français : « Parce qu'en français c'est plus facile d'écrire sans style. »

Cependant il continuera à écrire dans les deux langues, traduisant la plupart de ses propres œuvres du français à l'anglais et vice-versa. Ainsi *En attendant Godot* (1952), sa pièce la plus célèbre, a été écrite en français, tandis que *Oh les beaux jours* (1963) a été écrite en anglais et publiée d'abord dans cette langue sous le titre *Happy Days*.

L'œuvre de Beckett se partage majoritairement entre prose et théâtre, même s'il écrit aussi des poèmes, des essais critiques, des pièces pour la radio (*Tous ceux qui tombent*) ou la télévision (*Quad, Dis Joe*), et même un film (*Film*). Les textes en prose peuvent prendre la forme de romans (la trilogie citée plus haut, ou encore *Mercier et Camier, Comment c'est, Compagnie, Cap au pire…*), ou de textes brefs (*L'Image, Le Dépeupleur*, le recueil *Têtes-mortes, Soubresauts…*). Les pièces de théâtre sont, elles aussi, soit des œuvres d'une heure ou plus, en un ou plusieurs actes (*En attendant Godot, Fin de partie, Oh les beaux jours*), soit des pièces plus brèves, des « dramaticules » de quelques minutes (*Catastrophe, Comédie, Va-et-vient…*). Au fil de toute l'œuvre on peut remarquer une trajectoire qui va vers toujours plus de dépouillement, jusqu'à atteindre une forme de pureté à la fois sombre et lumineuse, dont l'humour n'est jamais absent, fût-il le plus noir.

Samuel Beckett reçoit en 1969 le prix Nobel de Littérature. Il meurt en 1989, reconnu dans le monde entier comme l'un des écrivains majeurs du XXe siècle.

*

Beckett écrit *Happy Days* entre 1960 et 1961. « J'ai écrit *Godot* vite, en un mois. *Oh les beaux jours* m'a demandé un an et demi. » (Le manuscrit d'*En attendant Godot* porte la mention octobre 1948 - janvier 1949, ce qui ne contredit pas nécessairement un premier geste d'écriture plus rapide.) La première publication de *Happy Days* a lieu à New York, chez Grove Press, en 1961. Et dès 1962 Beckett traduit la pièce en français. Elle paraît aux Éditions de Minuit en février 1963.

La première mondiale en anglais a lieu à New York en septembre 1961 (Cherry Lane Theatre), dans une mise en scène d'Alan Schneider avec Ruth White dans le rôle de Winnie. La première anglaise, en 1962, est donnée au Royal Court Theatre de Londres, avec Brenda Bruce, dans une mise en scène de George Devine. En français, ce sera pendant la Biennale de Venise en septembre 1963 puis en octobre à l'Odéon, dans une mise en scène de Roger Blin avec Madeleine Renaud et Jean-Louis Barrault.

Si de nombreuses comédiennes incarnèrent Winnie dans différentes langues, en France c'est certainement Madeleine Renaud qui demeure la comédienne emblématique de ce rôle qu'elle a joué maintes fois pendant plus de vingt ans et qui a marqué sa carrière. Winnie est le plus important personnage féminin créé par Beckett, et sans doute le plus beau.

*

Oh les beaux jours est presque un monologue, sans l'être jamais tout à fait. Car Winnie ne cesse de s'adresser à son mari, lequel tantôt dort, tantôt s'agite derrière le monticule de terre, ne prononçant que de rares paroles, à l'occasion une mauvaise plaisanterie. Mais elle se satisfait de penser qu'il l'écoute ou seulement l'entend.

Une autre caractéristique de la pièce est l'impossibilité dans laquelle se trouve le personnage principal de se déplacer : Winnie est prise jusqu'à la taille (acte I), puis jusqu'au cou (acte II), au centre du mamelon pelé qui l'emprisonne. Cette situation, métaphorique si l'on veut, absurde si l'on préfère, est un état de fait qu'elle ne questionne pas, dont elle ne se plaint pas : Winnie est positive dans sa condition dérisoire. Mais le mouvement n'est pas pour autant absent de la pièce. Outre les quelques mouvements de Willie, les gestes de Winnie sont d'une grande importance. De son sac elle tire quantité d'objets qu'elle dispose autour d'elle et qui constituent son monde de femme (« Comment sais-tu à ce point l'importance qu'une femme attache à son sac ? » dira Madeleine Renaud à Beckett). Madeleine Renaud encore : « Avec Beckett, nous avons pris chaque objet en particulier : la loupe, le petit miroir, la lime à ongles, le revolver, tous ces objets qui servent, je crois, à ponctuer le rythme de la phrase et qui viennent aussi, avec le geste, achever ses pensées. »

Il suffit d'ouvrir *Oh les beaux jours* à n'importe quelle page pour remarquer l'omniprésence des didascalies et leur imbrication avec le texte. Elles donnent le rythme et précisent chaque expression, chaque geste avec un sens inouï du détail. Ces détails ponctuent en particulier la parole de Winnie et font sentir l'attention pleine de tendresse que l'auteur porte à son personnage. Et c'est peut-être dans *Oh les beaux jours*, en effet, que cette tendresse de Beckett est la plus manifeste, même si elle irrigue toute son œuvre. Dérisoire et vouée comme tout être humain au néant, Winnie parle, continue de parler, se réjouit d'un rien, célébrant, en somme, le simple fait d'exister. « Ça que je trouve si merveilleux » répète-t-elle sans relâche.

Ce dispositif théâtral extrêmement serré, pauvre en apparence, est en réalité une mécanique précise qui produit une véritable liberté. C'est peut-être Billie Whitelaw, comédienne anglaise que Beckett admirait et qui interpréta notamment le rôle de Winnie en 1979, qui l'exprime le mieux en parlant de l'exigence du travail avec l'auteur : « On pourrait croire que l'attention méticuleuse que Beckett porte au moindre détail contraint l'acteur, mais pas du tout. Cela vous donne une liberté fabuleuse car, à l'intérieur même de ce cadre méticuleusement établi, et soutenu par ces sentiments de compassion, de sécurité, le comédien a toute liberté pour ses propres initiatives. […] Lorsque je travaille l'interprétation d'une autre œuvre, je me rends bien compte que, parfois, je biaise. Avec Beckett, impossible de tricher. C'est un immense privilège, une grande chance d'avoir travaillé avec lui. »

À droite : première page du manuscrit de la traduction en français de Happy Days *par Samuel Beckett, août 1962.*

1ᵉ Acte

Les Beaux Jours

Étendue d'herbe brûlée s'enflant au centre en ~~forme~~ petit monticule. Pente douce ~~à~~ gauche et droite et vers l'avant-scène. Derrière, ~~chute~~ plus abrupte ~~au~~ au niveau de la scène. Maximum de simplicité et de symétrie.

~~Lumière~~ ~~aveuglante~~ Aveuglante

~~Une~~ Toile de fond en trompe-l'œil très pompier représente la plaine et le ciel ~~en~~ au loin d'un ciel sans nuage ~~ce~~ ~~d'une~~ plaine sans aviste.

Enfoui jusqu'au dessus de la taille dans le monticule, au juste ~~prints~~ milieu de celui-ci, WINNIE. La cinquantaine, bien conservée, ~~mais~~ ~~aussi~~ ~~mains~~ ~~de~~ ~~préférence~~ ~~cheveux blonds~~ bras et épaules nus. ~~En décolleté~~, plantureuse poitrine, collier de perles. Elle dort, les bras sur le monticule, la tête sur les bras. ~~À côté d'elle~~, à sa gauche, un grand ~~sac~~ noir, et à sa droite ~~un~~ parasol ~~à~~ ~~araucher~~ pendant, le manche sortir de la gaine. Elle somnole.

À la droite et derrière elle, abrégé par terre, endormi, caché par le monticule — WILLIE.

Temps long. ~~Une~~ sonnerie perçante ~~d'abord~~, ~~puis~~ ~~sa~~ secondes environ, ~~s'arrête~~. Elle ne bouge pas. Elle s'arrête. ~~Elle ne bouge pas~~, sonnerie ~~+~~ perçante. 5 secondes environ. Elle se réveille. La sonnerie s'arrête. Elle lève la tête, regarde devant elle. Temps long. Elle se redresse, pose les mains à plat par terre, rejette la tête ~~en~~ arrière et ~~regarde~~ fixe le zénith. Temps long.

(~~fixant~~ le zénith). Encore un ~~temps~~ aujourd'hui ~~jour~~ divin. (~~Temps.~~ Elle ramène la tête à l'horizontale, regard devant elle. Un temps. Elle joint les mains, les élève devant sa poitrine, ferme les yeux. Une prière inaudible agite ses lèvres. Dix secondes environ. Les lèvres s'immobilisent, les mains restent jointes. ~~Bas~~) au nom j. J.-C. amen. (~~les yeux~~ s'ouvrent, les mains se disjoignent, reprennent leur place première. Un temps. Elle joint de nouveau les mains, les élève devant elle ~~et~~ ~~sa~~ inaudible agite de nouveau ses lèvres. 3 secondes environ. ~~les~~) ~~comme~~ Siècle des siècles amen. (Les yeux s'ouvrent, les mains se disjoignent, reprennent leur place première. Un temps.) Commence, Winnie. (~~Un temps.~~) Commence ta journée, Winnie. (~~Un temps.~~ Elle se ~~tourne~~ vers le sac, ~~farfouille~~ dedans sans le déplacer, en sort une brosse à dents, ~~farfouille~~ de ~~nouveau~~, en sort un ~~tube~~ de dentifrice aplati, revient de face, dévisse le ~~capuchon~~ du tube, pose le capuchon par terre, exprime avec mal un peu de pâte sur la brosse, à gauche

PERSONNAGES

WINNIE, la cinquantaine.

WILLIE, la soixantaine.

ACTE PREMIER

Étendue d'herbe brûlée s'enflant au centre en petit mamelon. Pentes douces à gauche et à droite et côté avant-scène. Derrière, une chute plus abrupte au niveau de la scène. Maximum de simplicité et de symétrie.

Lumière aveuglante.

Une toile de fond en trompe-l'œil très pompier représente la fuite et la rencontre au loin d'un ciel sans nuages et d'une plaine dénudée.

Enterrée jusqu'au-dessus de la taille dans le mamelon, au centre précis de celui-ci, WINNIE. La cinquantaine, de beaux restes, blonde de préférence, grassouillette, bras et épaules nus, *corsage très décolleté, poitrine plantureuse, collier de perles. Elle dort, les bras sur le mamelon, la tête sur les bras. À côté d'elle, à sa gauche, un grand sac noir, genre cabas, et à sa droite une ombrelle à manche rentrant (et rentré) dont on ne voit que la poignée en bec-de-cane.*

À sa droite et derrière elle, allongé par terre, endormi, caché par le mamelon, WILLIE.

Un temps long. Une sonnerie perçante se déclenche, cinq secondes, s'arrête. Winnie ne bouge pas. Sonnerie plus perçante, trois secondes. Winnie se réveille. La sonnerie s'arrête. Elle lève la tête, regarde devant elle. Un temps long. Elle se redresse, pose les mains à plat sur le mamelon, rejette la tête en arrière et fixe le zénith. Un temps long.

WINNIE. — (*Fixant le zénith.*) Encore une journée divine. (*Un temps. Elle ramène la tête à la verticale, regarde devant elle. Un temps. Elle joint les mains, les lève devant sa poitrine, ferme les yeux. Une prière inaudible remue ses lèvres, cinq secondes. Les lèvres s'immobilisent, les mains restent jointes. Bas.*) Jésus-Christ Amen. (*Les yeux s'ouvrent, les mains se disjoignent, reprennent leur place sur le mamelon. Un temps. Elle joint de nouveau les mains, les lève de nouveau devant sa poitrine. Une arrière-prière inaudible remue de nouveau ses lèvres, trois secondes. Bas.)* Siècle des siècles Amen. *(Les yeux s'ouvrent, les mains se disjoignent, reprennent leur place sur le mamelon. Un temps.)* Commence, Winnie. *(Un temps.)* Commence ta journée, Winnie. *(Un temps. Elle se tourne vers le sac, farfouille dedans sans le déplacer, en sort une brosse à dents, farfouille de nouveau, sort un tube de dentifrice aplati, revient de face, dévisse le capuchon du tube, dépose le capuchon sur le mamelon, exprime non sans mal un peu de pâte sur la brosse, garde le tube dans une main et se brosse les dents de l'autre. Elle se détourne pudiquement, en se renversant en arrière et à sa droite, pour cracher derrière le mamelon. Elle a ainsi Willie sous les yeux. Elle crache, puis se renverse un peu plus.)* Hou-ou ! *(Un temps. Plus fort.)* Hou-ou ! *(Un temps. Elle a un tendre sourire tout en revenant de face. Elle dépose la brosse.)* Pauvre Willie — *(elle examine le tube, fin du sourire)* — plus pour longtemps — *(elle cherche le capuchon)* — enfin — *(elle ramasse le capuchon)* — rien

19

à faire — (*elle revisse le capuchon*) — petit
malheur — (*elle dépose le tube*) — encore
un — (*elle se tourne vers le sac*) — sans
remède — (*elle farfouille dans le sac*) — aucun
remède — (*elle sort une petite glace, revient
de face*) — hé oui — (*elle s'inspecte les dents
dans la glace*) — pauvre cher Willie — (*elle
éprouve avec le pouce ses incisives supérieures,
voix indistincte*) — bon sang ! — (*elle soulève
la lèvre supérieure afin d'inspecter les gencives,
de même*) — bon Dieu ! — (*elle tire sur un
coin de la bouche, bouche ouverte, de même*)
— enfin — (*l'autre coin, de même*) — pas
pis — (*elle abandonne l'inspection, voix normale*) — pas mieux, pas pis — (*elle dépose la
glace*) — pas de changement — (*elle s'essuie
les doigts sur l'herbe*) — pas de douleur — (*elle
cherche la brosse à dents*) — presque pas —
(*elle ramasse la brosse*) — ça qui est merveilleux — (*elle examine le manche de la brosse*)
— rien de tel — (*elle examine le manche, lit*)
— pure... quoi ? — (*un temps*) — quoi ? —
(*elle dépose la brosse*) — hé oui — (*elle se
tourne vers le sac*) — pauvre Willie — (*elle
farfouille dans le sac*) — aucun goût — (*elle
farfouille*) — pour rien — (*elle sort un étui à*

lunettes) — aucun but — (*elle revient de face*)
— dans la vie — (*elle sort les lunettes de l'étui*)
— pauvre cher Willie — (*elle dépose l'étui*)
— bon qu'à dormir — (*elle déplie les lunettes*)
— don merveilleux — (*elle chausse les lunet-*
tes) — rien de tel — (*elle cherche la brosse à*
dents) — à mon avis — (*elle ramasse la*
brosse) — je l'ai toujours dit — (*elle examine*
le manche de la brosse) — que ne l'eussé-je !
— (*elle examine le manche, lit*) — véritable...
pure... quoi ? — (*elle dépose la brosse*) — bientôt aveugle — (*elle enlève ses lunettes*)
— enfin — (*elle dépose les lunettes*) — assez
vu — (*elle cherche son mouchoir dans son*
corsage) — sans doute — (*elle sort le mou-*
choir plié) — depuis le temps — (*elle déplie*
le mouchoir en le secouant) — quels sont ces
vers merveilleux ? — (*elle s'essuie un œil*)
— malheur à moi — (*l'autre œil*) — qui vois ce
que je vois — (*elle cherche les lunettes*) — hé
oui — (*elle ramasse les lunettes*) — m'en pas-
serais bien — (*elle essuie les lunettes avec le*
mouchoir en soufflant sur les verres) — pas si
sûr — (*elle essuie*) — sainte lumière — (*elle*
essuie) — noire plongée — (*elle essuie*) —
faire surface — (*elle essuie*) — fournaise

21

d'infernale lumière. (*Elle s'arrête d'essuyer, renverse la tête, regarde le ciel, ramène la tête à la verticale, se remet à essuyer, s'arrête, se renverse en arrière et à sa droite.*) Hou-ou ! (*Un temps. Elle a un tendre sourire tout en revenant de face et en se remettant à essuyer. Fin du sourire.*) Don merveilleux — (*elle s'arrête d'essuyer, dépose les lunettes*) — que ne l'eussé-je ! — (*elle replie le mouchoir*) — enfin — (*elle rentre le mouchoir dans son corsage*) — peux pas me plaindre — (*elle cherche les lunettes*) — non non — (*elle ramasse les lunettes*) — dois pas me plaindre — (*elle lève les lunettes devant ses yeux*) — tant de motifs — (*elle regarde à travers un verre*) — de reconnaissance — (*l'autre verre*) — pas de douleur — (*elle chausse ses lunettes*) — presque pas — (*elle cherche la brosse à dents*) — ça qui est merveilleux — (*elle ramasse la brosse*) — rien de tel — (*elle examine le manche de la brosse*) — légers maux de tête parfois — (*elle examine le manche, lit*) — garantie... véritable... pure... quoi ? — (*elle regarde de plus près*) — véritable pure... — (*elle prend le mouchoir dans son corsage*) — hé oui — (*elle déplie le mouchoir en le*

secouant) — vague migraine temps en temps
— (*elle essuie le manche de la brosse*) — ça
vient — (*elle essuie*) — puis s'en va — (*elle
essuie machinalement*) — hé oui — (*elle
essuie*) — tant de bontés — (*elle essuie*) — de
grandes bontés — (*elle s'arrête d'essuyer,
regard fixe et vide, voix qui se brise*) — prières
peut-être pas vaines — (*un temps, de même*)
— matin — (*un temps, de même*) — soir —
(*elle baisse la tête, se remet à essuyer, s'arrête,
relève la tête, plus calme, s'essuie les yeux,
replie le mouchoir, le remet dans son corsage,
examine le manche de la brosse, lit*) — solennellement... garantie... véritable... pure... —
(*elle regarde de plus près*) — véritable pure...
(*Elle enlève ses lunettes, les dépose ainsi que la
brosse, regarde devant elle.*) Vieilles choses.
(*Un temps.*) Vieux yeux. (*Un temps long.*)
Continue, Winnie. (*Elle regarde autour d'elle,
lorgne l'ombrelle, la fixe longuement, la ramasse et en dégage le manche d'une longueur
inattendue. Empoignant de la main droite la
pointe de l'ombrelle elle se renverse en arrière
et à sa droite au-dessus de Willie.*) Hou-ou !
(*Un temps.*) Willie ! (*Un temps.*) Don merveilleux. (*Elle lui assène un coup avec le bec*

de l'ombrelle.) Que ne l'eussé-je ! (*Nouveau coup. L'ombrelle lui échappe et tombe derrière le mamelon. Elle lui est aussitôt rendue par la main invisible de Willie.*) Merci, mon chéri. (*Elle transfère l'ombrelle à la main gauche, revient de face et examine sa paume droite.*) Moite. (*Elle transfère l'ombrelle à la main droite et examine sa paume gauche.*) Enfin, pas pis. (*Elle relève la tête, ton enjoué.*) Pas mieux, pas pis, pas de changement. (*Un temps. De même.*) Pas de douleur. (*Elle se renverse en arrière pour regarder Willie, en tenant comme avant l'ombrelle par la pointe.*) Je t'en prie, mon chéri, sois gentil, ne te rendors pas, je pourrais avoir besoin de toi. (*Un temps.*) Oh ça ne presse pas, ça ne presse pas, seulement ne te repelotonne pas. (*Elle revient de face, dépose l'ombrelle, examine les deux paumes ensemble, les essuie sur l'herbe.*) Un peu patraque peut-être malgré tout. (*Elle se tourne vers le sac, farfouille dedans, en sort un revolver, le tient en l'air, lui donne un baiser rapide, le rentre dans le sac, farfouille, sort un flacon contenant un fond de liquide rouge, revient de face, cherche ses lunettes, les chausse, lit l'étiquette.*) Diminution d'entrain... manque d'allant...

perte d'appétit… bébés… enfants… adultes…
six cuillerées à bouche… rases… chaque jour
— (*elle lève la tête, sourit*) — le vieux style !
— (*fin du sourire, elle repenche la tête, lit*)
— chaque jour… avant et après… chaque
repas… amélioration… (*elle regarde de plus
près*) — instantanée. (*Elle enlève ses lunettes,
les dépose, regarde le niveau du liquide,
dévisse le capuchon, vide le flacon d'un trait
la tête bien rejetée en arrière, jette flacon et
capuchon du côté de Willie, bruit de verre
cassé.*) Ah ! Ça va mieux ! (*Elle se tourne vers
le sac, farfouille dedans, en sort un bâton de
rouge, revient de face, l'examine.*) Plus pour
longtemps. (*Elle cherche ses lunettes.*) Enfin…
(*Elle chausse ses lunettes, cherche la glace.*)
Dois pas me plaindre. (*Elle ramasse la glace,
commence à se faire les lèvres.*) Quel est ce
vers admirable ? (*Lèvres.*) Oh fugitives joies —
(*lèvres*) — oh… ta-la lents malheurs. (*Lèvres.
Du remue-ménage du côté de Willie l'inter-
rompt. Il a entrepris de se mettre sur son séant.
Elle éloigne de son visage glace et rouge et se
renverse en arrière pour voir. Un temps. Le
crâne chauve de Willie, partie postérieure, où
coule un filet de sang, apparaît au-dessus de la*

pente du mamelon, s'immobilise. Winnie re-
monte ses lunettes sur le front. Un temps. La
main de Willie apparaît, tenant un mouchoir,
l'étale sur le crâne, puis disparaît. Un temps.
La main réapparaît, tenant un canotier garni
d'un ruban bicolore, l'ajuste sur le crâne,
coquettement de biais, puis disparaît. Un
temps. Winnie se renverse un peu plus vers
lui.) Enfile ton caleçon, chéri, tu vas roussir.
(*Un temps.*) Non ? (*Un temps.*) Oh je vois,
il te reste de ton produit. (*Un temps.*) Fais-
le bien pénétrer, mon trésor. (*Un temps.*)
L'autre, à présent. (*Un temps. Elle revient de*
face, regarde devant elle. Expression heureuse.)
Oh le beau jour encore que ça va être ! (*Un*
temps. Fin de l'expression heureuse. Elle rabat
ses lunettes sur le nez et se remet à se faire les
lèvres. Willie déplie un journal, mains invisi-
bles. Les pages jaunies, moitié supérieure, vien-
nent encadrer sa tête. Winnie termine ses
lèvres, éloigne un peu la glace et les inspecte.)
Fraîche bouchette. (*Willie tourne la page.*
Winnie dépose glace et rouge et se tourne vers
le sac.) Bouchette blémie.

Willie tourne la page. Winnie farfouille dans
le sac, en sort une toque très bibi, plume frois-

sée, revient de face, rajuste la toque, lisse la plume, porte la toque vers sa tête. Geste arrêté par la voix de Willie.

WILLIE. — (*Lisant.*) Monseigneur le Révérendissime Père en Dieu Carolus Chassepot mort dans son tub.

Un temps.

WINNIE. — (*Regardant devant elle, toque à la main, ton de fervente réminiscence.*) Charlot Chassepot ! (*Un temps.*) Je ferme les yeux — (*elle enlève ses lunettes et ferme les yeux, toque dans une main, lunettes dans l'autre*) — et suis de nouveau assise sur ses genoux, dans le clos à Fougax-et-Barrineuf, derrière la maison, sous le robinier. (*Un temps. Elle ouvre les yeux, chausse ses lunettes, taquine la toque.*) Oh les beaux jours de bonheur !

Un temps. Elle porte la toque vers sa tête. Geste arrêté par la voix de Willie.

WILLIE. — (*Lisant.*) Recherche un jeune homme vif.

Un temps. Elle porte la toque vers sa tête, arrête le geste, enlève ses lunettes, regarde devant elle, lunettes dans une main, toque dans l'autre.

WINNIE. — Mon premier bal ! (*Un temps.*)

Mon second bal ! (*Un temps. Elle ferme les yeux.*) Mon premier baiser ! (*Un temps. Willie tourne la page. Winnie ouvre les yeux.*) Un kinési ou mécanothérapeute Demoulin... ou Dumoulin... voire Desmoulins, c'est encore possible. Moustache fauve très drue. (*Révérencieusement.*) Reflets carotte ! (*Un temps.*) Dans un réduit de jardinier, mais chez qui, mystère. Point de réduit de jardinier chez nous et chez lui à coup sûr pas l'ombre d'un réduit de jardinier. (*Elle ferme les yeux.*) Je revois les piles de pots à fleurs. (*Un temps.*) Les bottes d'échalotes. (*Un temps.*) L'ombre s'épaississant parmi les poutres.

Un temps. Elle ouvre les yeux, chausse ses lunettes, porte la toque vers sa tête. Geste arrêté par la voix de Willie.

WILLIE. — (*Lisant.*) Coquet deux-pièces calme soleil.

Un temps. Winnie met vivement sa toque, cherche la glace. Willie tourne la page. Winnie ramasse la glace, inspecte sa toque, dépose la glace, se tourne vers le sac. Le journal disparaît. Winnie farfouille dans le sac, en sort une loupe, revient de face, cherche la brosse à dents. Le journal réapparaît, plié, et évente le visage de

Willie, main invisible. Winnie ramasse la brosse à dents et en examine le manche avec la loupe.

WINNIE. — Solennellement garantie… (*Willie s'arrête de s'éventer*)… véritable pure… (*Un temps. Willie se remet à s'éventer. Winnie regarde de plus près.*) Solennellement garantie… (*Willie s'arrête de s'éventer*)… véritable pure… (*Un temps, Willie se remet à s'éventer*)… soie de… (*Willie s'arrête de s'éventer*)… soie de… porc. (*Un temps. Winnie dépose loupe et brosse. Le journal disparaît. Winnie enlève ses lunettes, les dépose, regarde devant elle.*) Soie de porc. (*Un temps.*) Ça que je trouve si merveilleux, qu'il ne se passe pas de jour — (*sourire*) — le vieux style ! — (*fin du sourire*) — presque pas, sans quelque enrichissement du savoir si minime soit-il, l'enrichissement je veux dire, pour peu qu'on s'en donne la peine. (*La main de Willie réapparaît tenant une carte postale qu'il examine de très près.*) Et si pour des raisons obscures nulle peine n'est plus possible, alors plus qu'à fermer les yeux — (*elle le fait*) — et attendre que vienne le jour — (*elle ouvre les yeux*) — le beau jour où la chair fond à tant de degrés et la nuit de la lune dure tant

29

de centaines d'heures. (*Un temps.*) Ça que je trouve si réconfortant quand je perds courage et jalouse les bêtes qu'on égorge. (*Se tournant vers Willie.*) J'espère que tu ne perds rien de — (*Elle voit la carte postale, se renverse davantage.*) Qu'est-ce que tu tiens là, Willie, tu permets ? (*Elle tend le bras et Willie lui passe la carte. Le bras apparaît au-dessus de la pente du mamelon et restera ainsi, tendu, la main ouverte, jusqu'à ce que la carte soit rendue.*) Ciel ! Mais à quoi est-ce qu'ils jouent ? (*Elle cherche ses lunettes, les chausse et examine la carte.*) Non mais c'est de la véritable pure ordure ! (*Elle examine la carte.*) De quoi faire vomir — (*elle examine la carte*) — tout être qui se respecte. (*Impatience des doigts de Willie. Elle cherche la loupe, la ramasse et la braque sur la carte. Un temps long.*) Et ce troisième là, au fond, qu'est-ce qu'il fricote ? (*Elle regarde de plus près.*) Oh non vraiment ! (*Impatience des doigts de Willie. Dernier regard prolongé. Elle dépose la loupe, prend l'extrême bord de la carte entre pouce et index de la main droite, écarte le bras à droite, détourne la tête à gauche, se pince le nez entre pouce et index de la main gauche.*) Pouah !

(*Elle lâche la carte.*) Enlève-moi ça ! (*Le bras de Willie disparaît. La main réapparaît aussitôt, tenant de nouveau la carte. Winnie enlève ses lunettes, les dépose, regarde devant elle. Willie continue, pendant ce qui suit, à se délecter de la carte, sous tous les angles, l'éloignant et la rapprochant de ses yeux.*) Soie de porc. (*Expression perplexe.*) Qu'est-ce que c'est au juste, un porc ? (*Un temps. De même.*) Une truie, ça oui, évidemment, je sais, mais un porc ? (*Fin de l'expression perplexe.*) Enfin, quelle importance, voilà ce que je dis toujours, ça reviendra, ça que je trouve si merveilleux, tout revient. (*Un temps.*) Tout ? (*Un temps.*) Non, pas tout. (*Sourire.*) Non non. (*Fin du sourire.*) Pas tout à fait. (*Un temps.*) Une partie. (*Un temps.*) Remonte, un beau jour, de nulle part. (*Un temps.*) Des nues. (*Un temps.*) Ça que je trouve si merveilleux. (*Elle se tourne vers le sac. La main de Willie disparaît avec la carte. Elle veut farfouiller dans le sac, arrête le geste.*) Non. (*Elle revient de face. Sourire.*) Non non. (*Fin du sourire.*) Doucement Winnie. (*Elle regarde devant elle. La main de Willie réapparaît, enlève le canotier, disparaît avec le canotier.*) Quoi alors ? (*La main de Willie réappa-*

raît, enlève le mouchoir, disparaît avec le mouchoir. Avec agacement, comme à quelqu'un qui ne fait pas attention.) Winnie ! (Willie se penche en avant, sa tête disparaît.) Quelle est donc l'alternative ? (Un temps.) Quelle est donc l'al — (Willie se mouche longuement et bruyamment, tête et mains invisibles. Winnie se tourne vers lui. Un temps. La tête de Willie réapparaît. Un temps. La main réapparaît, tenant le mouchoir, l'étale sur le crâne, puis disparaît. Un temps. La main réapparaît, tenant le canotier, l'ajuste sur le crâne, coquettement de biais, puis disparaît. Un temps.) Que ne t'ai-je laissé dormir ! (Elle revient de face. En tirant distraitement sur l'herbe et en baissant et levant la tête, elle anime ce qui suit.) Ah oui, si seulement je pouvais supporter d'être seule, je veux dire d'y aller de mon babil sans âme qui vive qui entende. (Un temps.) Non pas que je me fasse des illusions, tu n'entends pas grand'chose, Willie, à Dieu ne plaise. (Un temps.) Des jours peut-être où tu n'entends rien. (Un temps.) Mais d'autres où tu réponds. (Un temps.) De sorte que je peux me dire à chaque moment, même lorsque tu ne réponds pas et n'entends peut-être rien, Winnie, il est des moments où tu te fais entendre, tu ne parles pas toute seule tout à fait, c'est-à-dire dans le désert, chose que je n'ai jamais pu supporter — à la longue. (*Un temps.*) C'est ce qui me permet de continuer, de continuer à parler s'entend. Tandis que si tu venais à mourir — (*sourire*) — le vieux style ! — (*fin du sourire*) — ou à t'en aller en m'abandonnant, qu'est-ce que je ferais alors, qu'est-ce que je pourrais bien faire, toute la journée, je veux dire depuis le moment où ça sonne, pour le réveil, jusqu'au moment où ça sonne, pour le sommeil ? (*Un temps.*) Simplement regarder droit devant moi, les lèvres rentrées ? (*Temps long pendant qu'elle le fait. Elle s'arrête de tirer sur l'herbe.*) Plus un mot jusqu'au dernier soupir, plus rien qui rompe le silence de ces lieux. (*Un temps.*) De loin en loin un soupir dans la glace. (*Un temps.*) Ou un bref… chapelet de rires, des fois que l'aventure je la trouverais encore bonne. (*Un temps. Elle a un sourire qui semble devoir culminer en rire lorsque soudain il cède à une expression d'inquiétude.*) Mes cheveux ! (*Un temps.*) Me suis-je coiffée ? (*Un temps.*) Je l'ai fait peut-être. (*Un temps.*) Normalement je le fais. (*Un temps.*) Il y a si peu qu'on puisse faire. (*Un temps.*) On fait tout. (*Un temps.*) Tout ce qu'on peut. (*Un temps.*) Ce n'est qu'humain. (*Elle commence à inspecter le mamelon, lève la tête.*) Que nature humaine. (*Elle se remet à inspecter le mamelon, lève la tête.*) Que faiblesse humaine. (*Elle se remet à inspecter le mamelon, lève la tête.*) Que faiblesse naturelle. (*Elle se remet à inspecter le mamelon.*) Pas trace de peigne. (*Elle inspecte.*) Pas trace de brosse. (*Elle lève la tête. Expression perplexe. Elle se tourne vers le sac, farfouille dedans.*) Le peigne est là. (*Elle revient de face. Expression perplexe. Elle se tourne vers le sac, farfouille.*) La brosse est là. (*Elle revient de face. Expression perplexe.*) J'ai pu les rentrer, après m'en être servie. (*Un temps. De même.*) Mais normalement je ne rentre pas mes choses, après m'en être servie, non, je les laisse traîner là, çà et là, et les rentre toutes ensemble, en fin de journée. (*Sourire.*) Le vieux style ! (*Un temps.*) Le doux vieux style ! (*Fin du sourire.*) Et pourtant... il me semble... me rappeler... (*Soudain insouciante.*) Oh tant pis, quelle importance, voilà ce que je dis toujours, c'est très simple, je me coifferai plus tard, très simple, le temps est à

34

Dieu et à moi. (*Un temps.*) À Dieu et à moi...
(*Un temps.*) Drôle de tournure. (*Un temps.*)
Est-ce que ça se dit ? (*Se tournant un peu vers
Willie.*) Est-ce que ça peut se dire, Willie, que
son temps est à Dieu et à soi ? (*Un temps. Se
tournant un peu plus, plus fort.*) Est-ce que
tu dirais ça, Willie, que ton temps est à Dieu
et à toi ?

Un temps long.

WILLIE. — Dors.

WINNIE. — (*Revenant de face, joyeuse.*) Oh
il va me parler aujourd'hui, oh le beau jour
encore que ça va être ! (*Un temps. Fin de
l'expression heureuse.*) Encore un. (*Un temps.*)
Bon, voyons, où en étais-je, ah oui, mes cheveux, plus tard, ils feront bien mon affaire
plus tard. (*Un temps.*) J'ai mis — (*elle porte
les mains à sa toque*) — oui, mis ma toque —
(*elle baisse les mains*) — je ne peux pas l'enlever maintenant. (*Un temps.*) Dire qu'il est des
moments où on ne peut pas enlever sa toque,
dût sa vie en dépendre. Moments où on ne
peut pas la mettre, moments où on ne peut
pas l'enlever. (*Un temps.*) Que de fois j'ai dit,
Mets ta toque maintenant, Winnie, il n'y a
plus que ça à faire, enlève ta toque, Winnie,

sois une grande fille, ça te fera du bien, et ne le faisais pas. (*Un temps.*) Ne le pouvais pas. (*Elle lève la main, dégage de sous la toque une petite mèche de cheveux, l'approche de son œil, louche vers elle, la lâche, baisse la main.*) D'or, tu as dit, ce jour-là, enfin seuls, cheveux d'or — (*elle lève la main dans le geste de porter un toast*) — à tes cheveux d'or... puissent-ils ne jamais... (*la voix se brise*)... ne jamais... (*Elle baisse la main. Elle baisse la tête. Un temps. Bas.*) Ce jour-là. (*Un temps. De même.*) Quel jour-là ? (*Un temps. Elle lève la tête. Voix normale.*) Et maintenant ? (*Un temps.*) Les mots vous lâchent, il est des moments où même eux vous lâchent. (*Se tournant un peu vers Willie.*) Pas vrai, Willie ? (*Un temps. Se tournant un peu plus, plus fort.*) Pas vrai, Willie, que même les mots vous lâchent, par moments ? (*Un temps. Elle revient de face.*) Qu'est-ce qu'on peut bien faire alors, jusqu'à ce qu'ils reviennent ? Se coiffer, si on ne l'a pas fait, ou s'il y a doute, se curer les ongles s'ils ont besoin d'être curés, avec ça on peut voir venir. (*Un temps.*) C'est ça que je veux dire. (*Un temps.*) C'est tout ce que je veux dire. (*Un temps.*) Ça que je trouve si merveilleux, qu'il ne se passe pas de jour — (*sou-rire*) — le vieux style ! — (*fin du sourire*) — presque pas, sans quelque mal — (*Willie s'effondre derrière le mamelon, Winnie se tourne vers l'événement*) — pour un bien. (*Elle se renverse au maximum.*) Rentre dans ton trou à présent, Willie, tu t'es exposé suffi-samment. (*Un temps.*) Fais comme je te dis, Willie, ne reste pas vautré là, sous ce soleil d'enfer, rentre dans ton trou. (*Un temps.*) Allons, Willie ! (*Willie invisible se met à ram-per vers son trou, côté jardin.*) À la bonne heure ! (*Elle suit des yeux sa progression.*) Pas la tête la première, nigaud, comment ferais-tu pour tourner ? (*Un temps.*) Voilà... demi-tour... maintenant... marche arrière. (*Un temps.*) Oh je sais bien, mon chéri, ram-per à reculons, ce n'est pas de tout repos, mais on est payé, de sa peine, en fin de compte. (*Un temps.*) Ton cold-cream ! (*Il revient en rampant le chercher, elle le suit des yeux.*) Le couvercle ! (*Il retourne en rampant vers son trou, elle le suit des yeux. Agacée.*) Pas la tête la première, je te dis. (*Un temps.*) Plus à droite. (*Un temps.*) À droite, je te dis ! (*Un temps. Agacée.*) Mais bas les fesses, bon Dieu !

(*Un temps.*) Maintenant ! (*Un temps.*) Voilà !
(*Toutes ces injonctions d'une voix forte. Maintenant de sa voix normale, toujours tournée vers lui.*) Est-ce que tu m'entends de là ? (*Un temps.*) Je t'en supplie, Willie, seulement oui ou non, est-ce que tu m'entends de là, seulement oui ou rien ?

Un temps.

WILLIE. — (*Maussade.*) Oui.

WINNIE. — (*Revenant de face, même voix.*) Et maintenant ?

WILLIE. — (*Agacé.*) Oui.

WINNIE. — (*Moins fort.*) Et maintenant ?

WILLIE. — (*Encore plus agacé.*) Oui !

WINNIE. — (*Encore moins fort.*) Et maintenant ? (*Un temps. Un peu plus fort.*) Et maintenant ?

WILLIE. — (*Violemment.*) Oui !

WINNIE. — (*Même voix.*) Qu'ils pleurent, oh mon Dieu, qu'ils frémissent de honte. (*Un temps.*) Tu as entendu ?

WILLIE. — (*Agacé.*) Oui.

WINNIE. — (*Même voix.*) Quoi ? (*Un temps.*) Quoi ?

WILLIE. — (*Encore plus agacé.*) Qu'ils frémissent !

Un temps.

WINNIE. — (*Même voix.*) De quoi ? (*Un temps.*) Qu'ils frémissent de quoi ?

WILLIE. — (*Violemment.*) Qu'ils frémissent !

WINNIE. — (*Voix normale, d'une traite.*) Dieu te bénisse Willie de ta bonté je sais l'effort que ça te coûte, repose-toi à présent détends-toi je ne t'embêterai plus à moins d'y être acculée, je veux dire à moins d'épuiser mes propres possibilités ce qui est peu probable, simplement te savoir là à même de m'entendre même si en fait tu ne le fais pas c'est tout ce qu'il me faut, simplement te sentir là à portée de voix et sait-on jamais sur le qui-vive c'est tout ce que je demande, ne rien dire pas fait pour tes oreilles ou susceptible de te causer de la peine, ne pas être là en train d'émettre à crédit pour ainsi dire sans savoir et un ver qui me ronge. (*Un temps. Elle reprend son souffle.*) Le doute. (*Elle pose l'index et le majeur sur la région du cœur, cherche l'endroit, le trouve.*) Là. (*Elle déplace légèrement les doigts.*) Environ. (*Elle écarte la main.*) Oh sans doute des temps viendront où je ne pourrai ajouter un mot sans l'assurance que tu as entendu le dernier et puis d'autres sans doute d'autres temps où je devrai apprendre à parler toute seule chose que je n'ai jamais pu supporter un tel désert. (*Un temps.*) Ou regarder droit devant moi, les lèvres rentrées. (*Elle le fait.*) À longueur de journée. (*Regard fixe, lèvres rentrées.*) Non. (*Sourire.*) Non non. (*Fin du sourire.*) Il y a le sac bien sûr. (*Elle se tourne vers le sac.*) Il y aura toujours le sac. (*Elle revient de face.*) Oui, je suppose. (*Un temps.*) Même quand tu seras parti, Willie. (*Elle se tourne un peu vers lui.*) Tu pars, Willie, n'est-ce pas ? (*Un temps. Se tournant un peu plus vers lui, plus fort.*) Tu vas bientôt partir, Willie, n'est-ce pas ? (*Un temps. Plus fort.*) Willie ! (*Un temps. Elle se renverse en arrière et à sa droite pour le regarder.*) Tiens, tu as enlevé ton paille, voilà qui est avisé. (*Un temps.*) Peux-tu me voir de là, je me le demande, je me le demande toujours. (*Un temps.*) Non ? (*Elle revient de face.*) Oh je sais bien, il ne s'ensuit pas forcément, lorsque deux êtres sont ensemble — (*la voix se brise*) — de cette façon — (*voix normale*) — parce que l'un voit l'autre que l'autre voit l'un, la vie m'a appris ça... aussi. (*Un temps.*) Oui, la vie, je suppose, il n'est pas d'autre vocable. (*Elle se tourne un peu vers lui.*) Tu pourrais me voir, Willie, tu crois, d'où tu es, si tu levais les yeux vers moi ? (*Elle se tourne un peu plus.*) Lève les yeux jusqu'à moi, Willie, et dis si tu peux me voir, fais ça pour moi, je me renverse tout ce que je peux. (*Elle le fait. Un temps.*) Non ? (*Un temps.*) Tu ne veux pas faire ça pour moi ? (*Un temps.*) Enfin ça ne fait rien. (*Elle revient péniblement de face.*) La terre est juste aujourd'hui, pourvu que je ne me sois pas empâtée. (*Un temps. Distraitement, yeux baissés.*) La grande chaleur sans doute. (*Elle se met à tapoter et à caresser la terre.*) Toutes choses en train de se dilater. (*Un temps. Tout en tapotant et caressant.*) Les unes davantage. (*Un temps. De même.*) Les autres moins. (*Un temps. De même.*) Oh je peux bien m'imaginer ce que tu rumines, celle-là alors, il ne suffisait pas d'avoir à l'entendre, maintenant il faut la regarder par-dessus le marché. (*Un temps. De même.*) Eh bien, c'est très compréhensible. (*Un temps. De même.*) Tout ce qu'il y a de plus compréhensible. (*Un temps. De même.*) On a l'air de demander pas grand'chose, même des moments où il semble guère possible — (*la voix se brise*) — de demander moins... à un semblable... c'est le moins qu'on puisse en dire... alors qu'en réalité... lorsqu'on y pense... voit dans son cœur... voit l'autre... ce dont il a besoin... la paix... qu'on le laisse en paix... alors peut-être la lune... tout ce temps... à quémander la lune. (*Un temps. Soudain la main s'immobilise. Avec vivacité.*) Tiens ! Qu'est-ce que je vois là ? (*Penchant la tête vers la terre, incrédule.*) On dirait de la vie ! (*Elle cherche ses lunettes, les chausse, regarde de plus près. Un temps.*) Une fourmi ! (*Elle recule. Voix aiguë.*) Willie, une fourmi, vivante ! (*Elle cherche la loupe, la ramasse, la braque sur la fourmi.*) Elle s'est sauvée ! (*Un temps.*) Ah la revoilà ! (*Elle suit la marche de la fourmi dans l'herbe.*) Elle a comme une petite balle blanche dans les bras. (*Elle suit la marche. La main s'immobilise.*) Elle s'est terrée. (*Elle continue pendant un moment à regarder l'endroit avec la loupe, puis se redresse lentement, dépose la loupe, enlève ses lunettes et regarde devant elle, lunettes à la main. Bas.*) Comme une petite balle blanche.

Un temps. Elle amorce le geste de déposer ses lunettes.

WILLIE. — Œufs.

WINNIE. — (*Arrêtant son geste.*) Quoi ?
Un temps.
WILLIE. — Œufs. (*Un temps. Winnie même geste.*) Formication.
WINNIE. — (*Arrêtant son geste.*) Quoi ?
Un temps.
WILLIE. — Formication.
Un temps. Winnie dépose ses lunettes, regarde devant elle.
WINNIE. — (*Murmure.*) Dieu ! (*Un temps. Willie rit doucement. Un temps. Elle rit avec lui. Ils rient doucement ensemble. Willie s'arrête. Winnie rit seule. Un temps. Willie rit avec elle. Ils rient ensemble. Elle s'arrête. Willie rit seul. Un temps. Il s'arrête. Un temps. Voix normale.*) Enfin quelle joie, t'entendre rire de nouveau, au moins ça, j'étais persuadée que ça ne m'arriverait, que ça ne t'arriverait, plus jamais. (*Un temps.*) Il y aurait des gens sans doute pour nous trouver un peu irrévérencieux, mais je ne crois pas. Peut-on mieux magnifier le Tout-Puissant qu'en riant avec lui de ses petites plaisanteries, surtout quand elles sont faibles ? (*Un temps.*) Tu serais d'accord, Willie, je pense, sur cette façon de voir. (*Un temps.*) Ou nous sommes-nous laissés divertir

43

par deux choses tout à fait différentes ? (*Un temps.*) Enfin quelle importance, voilà ce que je dis toujours, du moment que… tu sais… quel est ce vers merveilleux… ta-la malheur, suffit, tu m'as assez fait rire. (*Un temps.*) Et maintenant ? (*Un temps.*) Fut-il un temps, Willie, où je pouvais séduire ? (*Un temps.*) Fut-il jamais un temps où je pouvais séduire ? (*Un temps.*) Ne te méprends pas sur ma question, Willie, je ne te demande pas si tu as été séduit, là-dessus nous sommes fixés, je te demande si à ton avis je pouvais séduire — à un moment donné. (*Un temps.*) Non ? (*Un temps.*) Tu ne peux pas ? (*Un temps.*) Oh j'en conviens, il y a de quoi sécher. Et tu t'es déjà bien assez dépensé, pour le moment, détends-toi à présent, repose-toi, je ne t'embêterai plus à moins d'y être acculée, simplement te savoir là à portée de voix et sait-on jamais sur le demi-qui-vive, c'est pour moi… c'est mon coin d'azur. (*Un temps.*) La journée est maintenant bien avancée. (*Sourire.*) Le vieux style ! (*Fin du sourire.*) Et cependant il est encore un peu tôt, sans doute, pour ma chanson. Chanter trop tôt est une grave erreur, je trouve. (*Elle se tourne vers le sac.*) Il y a le sac bien sûr. (*Elle

regarde le sac.) Le sac. (*Elle revient de face.*)
Saurais-je en énumérer le contenu ? (*Un
temps.*) Non. (*Un temps.*) Saurais-je répondre
si quelque bonne âme, venant à passer, me
demandait, Winnie, ce grand sac noir, de quoi
est-il rempli, saurais-je répondre de façon
exhaustive ? (*Un temps.*) Non. (*Un temps.*)
Les profondeurs surtout, qui sait quels trésors.
Quels réconforts. (*Elle se tourne vers le sac.*)
Oui, il y a le sac. (*Elle revient de face.*) Mais je
m'entends dire, N'exagère pas, Winnie, avec
ton sac, profites-en bien sûr, aide-t-en pour
aller... de l'avant, quand tu es coincée, bien
sûr, mais sois prévoyante, je me l'entends dire,
Winnie, sois prévoyante, pense au moment où
les mots te lâcheront — (*elle ferme les yeux,
un temps, elle ouvre les yeux*) — et n'exagère
pas avec ton sac. (*Elle se tourne vers le sac.*)
Un tout petit plongeon peut-être quand même,
en vitesse. (*Elle revient de face, ferme les yeux,
allonge le bras gauche, plonge la main dans le
sac et en sort le revolver. Dégoûtée.*) Encore
toi ! (*Elle ouvre les yeux, revient de face avec le
revolver et le contemple.*) Vieux Brownie !
(*Elle le soupèse dans le creux de sa main.*) Pas
encore assez lourd pour rester au fond avec

les... dernières cartouches ? Pensez-vous ! Toujours en tête. (*Un temps.*) Brownie... (*Se tournant un peu vers Willie.*) Tu te rappelles Brownie, Willie ? (*Un temps.*) Tu te rappelles l'époque où tu étais toujours à me bassiner pour que je te l'enlève. Enlève-moi ça, Winnie, enlève-moi ça, avant que je mette fin à mes souffrances. (*Elle revient de face. Méprisante.*) *Tes* souffrances ! (*Au revolver.*) Oh c'est une consolation, sans doute, te savoir là, mais je t'ai assez vu. Je vais te mettre dehors, voilà ce que je vais faire. (*Elle dépose le revolver sur le mamelon à sa droite.*) Là, tu vas vivre là, à partir d'aujourd'hui. (*Sourire.*) Le vieux style ! (*Fin du sourire. Un temps.*) Et maintenant ? (*Un temps long.*) La gravité, Willie, j'ai l'impression qu'elle n'est plus ce qu'elle était, pas toi ? (*Un temps.*) Oui, l'impression de plus en plus que si je n'étais tenue — (*geste*) — de cette façon, je m'en irais tout simplement flotter dans l'azur. (*Un temps.*) Et qu'un jour peut-être la terre va céder, tellement ça tire, oui, craquer tout autour et me laisser sortir. (*Un temps.*) Tu n'as jamais cette sensation, Willie, d'être comme sucé ? (*Un temps.*) Tu n'es pas obligé de t'agripper,

Willie, par moments ? (*Se tournant un peu vers lui.*) Willie.

Un temps.

WILLIE. — Sucé ?

WINNIE. — Oui, mon chat, en haut, dans l'azur, comme un fil de la vierge. (*Un temps.*) Non ? (*Un temps.*) Jamais ? (*Un temps.*) Eh bien, les lois naturelles, les lois naturelles, c'est comme le reste sans doute, tout dépend du sujet. Tout ce que je peux dire c'est que pour ma part en ce qui me concerne elles ne sont plus ce qu'elles étaient quand j'étais jeunette et… follette… (*la voix se brise, elle baisse la tête*)… belle… peut-être… jolie… en un sens… à regarder. (*Un temps. Elle lève la tête.*) Pardonne-moi, Willie, on a de ces… bouillons de mélancolie. (*Voix normale.*) Enfin quelle joie, te savoir là, au moins ça, fidèle au poste, et peut-être réveillé, et peut-être à l'affût, par moments, quel beau jour encore… pour moi… ça aura été. (*Un temps.*) Jusqu'ici. (*Un temps.*) Quelle bénédiction que rien ne pousse, imagine-toi si toute cette saloperie se remettait à pousser. (*Un temps.*) Imagine-toi. (*Un temps.*) Ah oui, de grandes bontés. (*Un temps long.*) Je ne peux plus parler. (*Un temps.*) Pour le

moment. (*Elle se tourne vers le sac. Un temps.*
Elle revient de face. Sourire.) Non non. (*Fin du*
sourire. Elle regarde l'ombrelle.) Je pourrais
sans doute — (*elle ramasse l'ombrelle*) — oui,
sans doute, hisser cet engin, c'est le moment.
(*Elle commence à l'ouvrir. Les difficultés qu'en*
ce faisant elle rencontre, et surmonte, ponc-
tuent ce qui suit.) On s'abstient — on se
retient — de hisser — crainte de hisser —
trop tôt — et le jour passe — sans retour —
sans qu'on ait hissé — le moins du monde.
(*L'ombrelle est maintenant ouverte. Tournée*
vers sa droite elle la fait pivoter distraitement,
tantôt dans un sens, tantôt dans l'autre.) Hé
oui, si peu à dire, si peu à faire, et la crainte si
forte, certains jours, de se trouver… à bout,
des heures devant soi, avant que ça sonne,
pour le sommeil, et plus rien à dire, plus rien
à faire, que les jours passent, certains jours
passent, sans retour, ça sonne, pour le sommeil, et rien ou presque rien de dit, rien ou
presque rien de fait. (*Elle lève l'ombrelle.*)
Voilà le danger. (*Elle revient de face.*) Dont il
faut se garer. (*Elle regarde devant elle, tenant*
de la main droite l'ombrelle au-dessus de sa
tête. Un temps.) Je transpirais abondamment.

(*Un temps.*) Autrefois. (*Un temps.*) Plus maintenant. (*Un temps.*) Presque plus. (*Un temps.*) La chaleur a augmenté. (*Un temps.*) La transpiration diminué. (*Un temps.*) Ça que je trouve si merveilleux. (*Un temps.*) La façon dont l'homme s'adapte. (*Un temps.*) Aux conditions changeantes. (*Elle transfère l'ombrelle à la main gauche. Un temps.*) Tenir en l'air fatigue le bras. (*Un temps.*) Pas en marchant. (*Un temps.*) Seulement au repos. (*Un temps.*) Voilà une observation curieuse. (*Un temps.*) J'espère que tu n'as pas raté celle-là, Willie, ça me ferait de la peine que tu rates celle-là. (*Elle prend l'ombrelle des deux mains. Un temps.*) Je suis lasse, de la tenir en l'air, et je ne peux pas la déposer. (*Un temps.*) La raison me dit, Dépose-la, Winnie, elle ne t'aide en rien, et attèle-toi à autre chose. (*Un temps.*) Je ne peux pas. (*Un temps.*) Non, il faut que quelque chose arrive, dans le monde, ait lieu, quelque changement, moi je ne peux pas. (*Un temps.*) Willie. (*D'une petite voix.*) À moi. (*Un temps.*) Ordonne-moi de la déposer, Willie, j'obéirais, sur-le-champ, comme je l'ai toujours fait. (*Un temps.*) Par pitié. (*Un temps.*) Non ? (*Un temps.*) Une chance, que le moulin

49

tourne. (*Un temps.*) Ça que je trouve si merveilleux, mes deux lampes, quand l'une baisse l'autre brûle plus clair. (*Un temps.*) Ah oui, de grandes bontés. (*L'ombrelle prend feu. Elle renifle, lève les yeux, jette l'ombrelle derrière le mamelon, se renverse en arrière pour la voir se consumer, revient de face.*) Ah terre, vieille extincteuse ! (*Un temps.*) On a déjà vu ça, faut croire, quoique je n'en aie pas souvenance. (*Un temps.*) Et toi, Willie ? (*Elle se tourne un peu vers lui.*) As-tu souvenance, Willie, d'avoir déjà vu ça ? (*Elle se renverse en arrière pour le regarder.*) Sais-tu ce qu'on vient de voir, Willie ? (*Un temps.*) Le coma t'a repris ? (*Un temps.*) Je ne te demande pas si tu es sensible à tout ce qui se passe, je te demande seulement si le coma t'a repris. (*Un temps.*) Tes yeux paraissent fermés, mais ça ne veut rien dire, nous le savons. (*Un temps.*) Lève un doigt, mon poulet, veux-tu, si tu n'es pas tout à fait sans connaissance. (*Un temps.*) Fais ça pour moi, Willie, rien que le petit doigt, si tu n'es pas privé de sentiment. (*Un temps. Joyeuse.*) Oh tous les cinq, tu es un ange aujourd'hui, maintenant je vais pouvoir continuer, d'un cœur léger. (*Elle revient de face.*)

Oui, que vit-on jamais qu'on n'eût déjà vu et cependant... je me demande. (*Un temps.*) Dans ce brasier chaque jour plus féroce, n'est-il pas naturel que des choses prennent feu auxquelles cela n'était encore jamais arrivé, de cette façon je veux dire, sans qu'on l'y mette ? (*Un temps.*) Moi-même ne finirai-je pas par fondre, ou brûler, oh je ne veux pas dire forcément dans les flammes, non, simplement réduite petit à petit en cendres noires, toute cette — (*ample geste des bras*) — chair visible. (*Un temps.*) D'un autre côté, ai-je jamais connu des temps tempérés ? (*Un temps.*) Non. (*Un temps.*) Je parle de temps tempérés et de temps torrides, ce sont des mots vides. (*Un temps.*) Je parle de lorsque je n'étais pas encore prise — de cette façon — et avais mes jambes et l'usage de mes jambes, et pouvais me chercher un coin ombragé, comme toi, quand j'étais lasse du soleil, ou un coin ensoleillé quand j'étais lasse de l'ombre, comme toi, et ce sont tous des mots vides. (*Un temps.*) Il ne fait pas plus chaud aujourd'hui qu'hier, il ne fera pas plus chaud demain qu'aujourd'hui, impossible, et ainsi de suite à perte de vue, à perte de passé et d'avenir. (*Un temps.*)

51

Et si un jour la terre devait recouvrir mes seins, alors je n'aurai jamais vu mes seins, personne jamais vu mes seins. (*Un temps.*) Ça, Willie, j'espère que tu n'as pas raté ça, je serais navrée que tu rates ça, ce n'est pas tous les jours que j'atteins de tels sommets. (*Un temps.*) Oui, il semble s'être produit quelque chose, quelque chose semble s'être produit, et il ne s'est rien produit du tout, c'est toi qui as raison, Willie. (*Un temps.*) L'ombrelle sera de nouveau là demain, à côté de moi sur ce mamelon, pour m'aider à tirer ma journée. (*Elle ramasse la glace.*) Je prends cette petite glace, je la brise sur une pierre — (*elle le fait*) — je la jette loin de moi — (*elle la jette derrière elle*) — elle sera de nouveau là demain, dans le sac, sans une égratignure, pour m'aider à tirer ma journée. (*Un temps.*) Non, on ne peut rien faire. (*Un temps.*) Ça que je trouve si merveilleux, la façon dont les choses... (*la voix se brise, elle baisse la tête*)... les choses... si merveilleux. (*Un temps long, tête baissée. Finalement elle se tourne, toujours penchée, vers le sac, en sort tout un bric-à-brac inidentifiable, le refourre dans le sac, farfouille plus profond, sort finalement une boîte à musique, remonte le mécanisme, le déclenche, écoute la musique pendant un moment penchée sur la boîte qu'elle tient des deux mains, revient de face, se redresse lentement et écoute la musique — la Valse « Heure exquise » de la « Veuve joyeuse » — en serrant la boîte des deux mains contre sa poitrine. Peu à peu une expression heureuse. Elle se balance au rythme. La musique s'arrête. Un temps. La voix rauque de Willie entonne l'air — sans paroles. L'expression heureuse augmente. Willie s'arrête. Elle dépose la boîte.)* Oh le beau jour encore que ça aura été ! (*Elle bat des mains.*) Encore, Willie, encore ! (*Elle bat des mains.*) Bis, Willie, je t'en supplie ! (*Un temps. Fin de l'expression heureuse.*) Non ? Tu ne veux pas faire ça pour moi ? (*Un temps.*) Eh bien, c'est très compréhensible, très compréhensible. On ne peut pas chanter comme ça, uniquement pour faire plaisir à l'autre, aussi cher soit-il, non, le chant doit venir du cœur, voilà ce que je dis toujours, couler de source, comme le merle. (*Un temps.*) Que de fois j'ai dit, dans les heures noires, Chante maintenant, Winnie, chante ta chanson, il n'y a plus que ça à faire, et ne le faisais

pas. (*Un temps.*) Ne le pouvais pas. (*Un temps.*)
Non, comme le merle, ou l'oiseau de l'aurore,
sans souci de profit, ni pour soi, ni pour
autrui. (*Un temps.*) Et maintenant ? (*Un temps
long. Bas.*) Étrange sensation. (*Un temps. De
même.*) Étrange sensation, que quelqu'un me
regarde. Je suis nette, puis floue, puis plus,
puis de nouveau floue, puis de nouveau nette,
ainsi de suite, allant et venant, passant et
repassant, dans l'œil de quelqu'un. (*Un temps.
De même.*) Étrange ? (*Un temps. De même.*)
Non, ici tout est étrange. (*Un temps. Voix normale.*) Je m'entends dire, Tais-toi maintenant,
Winnie, un peu, veux-tu, ne gaspille pas tous
les mots de la journée, tais-toi et fais quelque
chose, veux-tu, pour changer. (*Elle lève les
mains et les tient ouvertes devant ses yeux. À
ses mains.*) Faites quelque chose ! (*Elle se
tourne vers le sac, farfouille dedans, en sort une
lime à ongles, revient de face et commence à se
limer les ongles. Elle lime pendant un moment
en silence. Puis ce qui suit ponctué par la lime.*)
L'image me remonte — des abîmes — d'un
Monsieur Piper — d'un Monsieur et peut-être
— d'une Madame Piper — mais non — ils se
tiennent la main — sa fiancée donc plutôt —

54

ou une simple amie — très chère. (*Elle regarde ses ongles de plus près.*) Très cassants aujourd'hui. (*Elle se remet à limer.*) Piper — Piper — le nom te dit — quelque chose — à toi, Willie — évoque je veux dire — une réalité quelconque — pour toi, Willie — ne réponds pas — si ça t'embête — tu t'es déjà — bien assez — dépensé — Piper — Piper. (*Elle examine les ongles limés.*) Un peu plus sortables. (*Elle lève la tête, regarde devant elle.*) Tiens-toi, Winnie, voilà ce que je dis toujours, advienne que pourra, tiens-toi. (*Un temps. Elle se remet à limer.*) Oui — Piper — (*elle s'arrête de limer, lève la tête, regarde devant elle*) — ou Cooker, ce ne serait pas plutôt Cooker ? (*Elle se tourne un peu vers Willie.*) Cooker, Willie, est-ce que Cooker soulève un voile ? (*Un temps. Se tournant un peu plus, plus fort.*) Cooker, Willie, est-ce que Cooker réveille un écho, le nom Cooker ? (*Un temps. Elle se renverse en arrière pour le regarder. Un temps.*) Oh quand même ! (*Un temps.*) Qu'est-ce que tu as fait de ton mouchoir ? (*Un temps.*) Oh Willie, tu ne vas pas l'avaler ! Éjecte, de grâce, éjecte ! (*Un temps. Elle revient de face.*) Enfin ce n'est que naturel, faut croire. (*La voix se brise.*) Qu'humain. (*Un temps. De même.*) Que peut-on faire ? (*Un temps. De même.*) Du matin au soir. (*Un temps. De même.*) Jour après jour. (*Un temps. Elle lève la tête. Sourire.*) Le vieux style ! (*Fin du sourire. Elle reprend ses ongles.*) Non, déjà fait celui-là. (*Elle passe au suivant.*) Fallait mettre mes lunettes. (*Un temps.*) Trop tard. (*Elle termine la main gauche, l'inspecte.*) Un peu plus présentables. (*Elle commence la main droite. Ce qui suit ponctué comme avant.*) Enfin — peu importe — ce Cooker — Piper — peu importe — et la femme — main dans la main — chacun une sacoche — genre fourre-tout — marron — plantés là à me fixer — bouche bée — puis lui — Piper — Cooker — peu importe — À quoi qu'elle joue ? dit-il — à quoi que ça rime ? dit-il — fourrée jusqu'aux nénés — dans le pissenlit — grossier personnage — ça signifie quoi ? dit-il — c'est censé signifier quoi ? — et patati — et patata — toutes les bêtises — habituelles — tu m'entends ? dit-il — hélas, dit-elle — comment hélas ? dit-il — qu'est-ce que ça signifie hélas ? (*Elle s'arrête de limer, lève la tête, regarde devant elle.*) Et toi ? dit-elle. Toi tu rimes à quoi, tu es censé signifier quoi ? Est-ce parce que tu tiens encore debout sur tes deux panards plats, ton vieux baise-en-ville bourré de caca en conserve et de caleçons de rechange, me traînant d'un bout à l'autre de ce fumier de désert — vraie harengère, digne compagne — (*soudain violente*) — lâche-moi, dit-elle, nom de Dieu, et croule, croule ! (*Elle se remet à limer.*) Pourquoi qu'il ne la déterre pas ? dit-il — allusion à toi, mon ange — à quoi qu'elle lui sert comme ça ? — à quoi qu'il lui sert comme ça ? — ainsi de suite — toutes les sottises — habituelles — faut la déterrer, dit-il — comme ça elle n'a pas de sens — la déterrer avec quoi ? dit-elle — les mains nues, dit-il, je le ferais les mains nues — devaient être mari et — femme. (*Elle lime en silence.*) Puis les voilà partis — main dans la main — les sacoches — ils s'éloignent — flous — puis plus — derniers humains — à s'être fourvoyés par ici. (*Elle termine la main droite, l'inspecte, dépose la lime, regarde devant elle.*) Étrange, de tels revenants, à un tel moment. (*Un temps.*) Étrange ? (*Un temps.*) Non, ici tout est étrange. (*Un temps.*) J'en suis reconnaissante en tout cas. (*La voix se brise.*) Très reconnaissante. (*Elle baisse la tête. Un temps. Elle lève la tête. Calme.*) Baisser et lever la tête, baisser et lever, toujours ça. (*Un temps.*) Et maintenant ? (*Un temps long. Elle commence à faire de l'ordre en rentrant les objets dans le sac, la brosse à dents en dernier. Cette opération ponctue ce qui suit.*) Il est sans doute — un peu tôt — pour s'apprêter — pour la nuit — (*elle s'arrête de ranger, lève la tête, sourit*) — le vieux style ! — (*fin du sourire, elle se remet à ranger*) — et cependant je le fais — je m'apprête — pour la nuit — sentant qu'elle est proche — que ça va sonner — pour le sommeil — me disant, Winnie — plus pour longtemps, Winnie — ça va sonner — pour le sommeil. (*Elle s'arrête de ranger, lève la tête, regarde devant elle.*) Il arrive que je me trompe. (*Sourire.*) Mais pas souvent. (*Fin du sourire.*) Il arrive que tout est fini, pour la journée, tout fait, tout dit, tout prêt, pour la nuit, et la journée pas finie, loin d'être finie, la nuit pas prête, loin loin d'être prête. (*Sourire.*) Mais pas souvent. (*Fin du sourire.*) Oui, quand je sens que ça vient, que ça va sonner, pour le sommeil, et m'apprête par conséquent, pour la nuit — (*geste*) — de cette façon, il arrive que je me trompe — (*sourire*) — mais pas souvent. (*Fin du sourire. Elle se remet à ranger.*) Je pensais autrefois — je dis, je pensais autrefois — que toutes ces choses — remises dans le sac — si trop tôt — remises trop tôt — qu'on pouvait les reprendre — le cas échéant — au besoin — et ainsi de suite — indéfiniment — remises — reprises — jusqu'à ce que ça sonne — pour le sommeil. (*Elle s'arrête de ranger, lève la tête, sourit.*) Mais non. (*Sourire plus large.*) Non non. (*Fin du sourire. Elle se remet à ranger.*) Ça pourrait sembler étrange — oui, sans doute — ce... comment dire ? — ce que je viens de dire — oui, sans doute — (*elle ramasse le revolver*) — étrange — (*elle se tourne pour rentrer le revolver dans le sac*) — si ce n'était — (*sur le point de rentrer le revolver elle arrête son geste et revient de face*) — si ce n'était — (*elle dépose le revolver à sa droite, s'arrête de ranger, lève la tête*) — que tout semble étrange. (*Un temps.*) Très étrange. (*Un temps.*) Jamais rien qui change. (*Un temps.*) Et de plus en plus étrange. (*Un temps. Elle se penche de nouveau, ramasse le dernier objet, à savoir la brosse à dents, et se tourne pour la rentrer dans le sac*

59

lorsque du remue-ménage du côté de Willie attire son attention. Elle se renverse pour voir. Un temps.) Las de ton trou, mon lapin ? (*Un temps.*) Eh bien, je comprends ça. (*Un temps.*) Ton paille ! (*Un temps.*) Ah tu n'es plus le rampeur d'autrefois, pauvre chéri. (*Un temps.*) Non, plus le rampeur qui conquit mon cœur. (*Un temps.*) Sur les genoux, mon chéri, essaie sur les genoux, les pattes par terre. (*Un temps.*) Genoux ! Genoux ! (*Un temps.*) Quelle malédiction, la mobilité ! (*Elle suit des yeux la progression de Willie vers elle derrière le mamelon, c'est-à-dire vers la place qu'il occupait au début de l'acte.*) Encore un pied six pouces, Willie, et tu es rendu. (*Un temps pendant qu'elle observe les derniers pouces.*) Ah ! (*Elle revient péniblement de face, se frotte le cou.*) Torticolis à force de t'admirer. (*Elle se frotte le cou.*) Mais ça vaut le coup, ça vaut mille fois le coup. (*Elle se tourne un peu vers lui.*) Tu sais le rêve que je fais quelquefois ? (*Un temps.*) Le rêve que je fais quelquefois, Willie ? (*Un temps.*) Que tu viendras vivre de ce côté que je puisse te voir. (*Un temps. Elle revient de face.*) J'en serais transformée. (*Un temps.*) Méconnaissable. (*Elle se tourne un peu vers lui*.) Ou seulement de temps en temps, de ce côté seulement de temps en temps, que je me repaisse de toi. (*Un temps. Elle revient de face.*) Mais tu ne peux pas, je sais. (*Elle baisse la tête.*) Je sais. (*Un temps. Elle lève la tête.*) Enfin — (*elle regarde la brosse*) — plus pour longtemps, Winnie — (*elle regarde la brosse*) — ça va sonner. (*Le crâne chauve de Willie, partie postérieure, apparaît au-dessus de la pente du mamelon. Winnie regarde la brosse de plus près.*) Solennellement garantie... (*elle lève la tête*)... comment c'était encore ? (*La main de Willie apparaît tenant le mouchoir qu'elle étale sur le crâne, puis disparaît.*) Véritable pure... solennellement garantie... (*La main de Willie réapparaît tenant le canotier qu'elle ajuste sur le crâne, coquettement de biais, puis disparaît*)... ah ! soie de porc ! (*Un temps.*) Qu'est-ce que c'est, un porc, au juste ? (*Un temps. Se tournant un peu vers Willie.*) Qu'est-ce que c'est au juste, Willie, un porc ? (*Un temps. Se tournant un peu plus, suppliante.*) Willie, je t'en supplie, qu'est-ce que c'est, un porc ?

Un temps.

WILLIE. — Cochon mâle châtré. (*Winnie a une expression heureuse.*) Élevé aux fins d'abattage.

Winnie revient de face. L'expression heureuse augmente. Willie ouvre son journal, mains invisibles. Les pages jaunies viennent encadrer sa tête. Winnie regarde devant elle, expression toujours heureuse.

WINNIE. — Oh le beau jour encore que ça aura été, encore un ! (*Un temps.*) Malgré tout. (*Fin de l'expression heureuse.*) Jusqu'ici.

Un temps. Willie tourne la page. Un temps. Il tourne la page. Un temps.

WILLIE. — Prime rendement.

Un temps. Winnie enlève sa toque, se tourne pour la rentrer dans le sac, arrête le geste, revient de face. Sourire.

WINNIE. — Non. (*Sourire plus large.*) Non non. (*Fin du sourire. Elle remet sa toque, regarde devant elle. Willie tourne la page.*) Et maintenant ? (*Un temps long.*) Chante. (*Un temps.*) Chante ta chanson, Winnie. (*Un temps.*) Non ? (*Un temps.*) Alors prie. (*Un temps.*) Prie ta prière, Winnie.

Un temps. Willie tourne la page. Un temps.

WILLIE. — Avantages sociaux.

Un temps. Winnie regarde devant elle. Willie tourne la page. Un temps. Le journal disparaît.

WINNIE. — Prie ta vieille prière, Winnie.

Un temps long.

RIDEAU

ACTE II

Scène comme au premier acte.

Willie invisible.

Winnie enterrée jusqu'au cou, sa toque sur la tête, les yeux fermés. La tête, qu'elle ne peut plus tourner, ni lever, ni baisser, reste rigoureusement immobile et de face pendant toute la durée de l'acte. Seuls les yeux sont mobiles. Voir indications.

Sac et ombrelle à la même place qu'au début du premier acte. Revolver bien en évidence à droite de la tête.

Un temps long.

Sonnerie perçante. Elle ouvre les yeux aussitôt.

La sonnerie s'arrête. Elle regarde devant elle. Un temps long.

WINNIE. — Salut, sainte lumière. (*Un temps. Elle ferme les yeux. Sonnerie perçante. Elle ouvre les yeux aussitôt. La sonnerie s'arrête. Elle regarde devant elle. Sourire. Un temps. Fin du sourire. Un temps.*) Quelqu'un me regarde encore. (*Un temps.*) Se soucie de moi encore. (*Un temps.*) Ça que je trouve si merveilleux. (*Un temps.*) Des yeux sur mes yeux. (*Un temps.*) Quel est ce vers inoubliable ? (*Un temps. Yeux à droite.*) Willie. (*Un temps. Plus fort.*) Willie. (*Un temps. Yeux de face.*) Peut-on parler encore de temps ? (*Un temps.*) Dire que ça fait un bout de temps, Willie, que je ne te vois plus. (*Un temps.*) Ne t'entends plus. (*Un temps.*) Peut-on ? (*Un temps.*) On le fait. (*Sourire.*) Le vieux style ! (*Fin du sourire.*) Il y a si peu dont on puisse parler. (*Un temps.*) On parle de tout. (*Un temps.*) De tout ce dont on peut. (*Un temps.*) Je pensais autrefois… (*un temps*)… je dis, je pensais autrefois que j'apprendrais à parler toute seule. (*Un temps.*) Je veux dire à moi-même, le désert. (*Sourire.*) Mais non. (*Sourire plus large.*) Non non. (*Fin du sourire.*)

66

Donc tu es là. (*Un temps.*) Oh tu dois être mort, oui, sans doute, comme les autres, tu as dû mourir, ou partir, en m'abandonnant, comme les autres, ça ne fait rien, tu es là. (*Un temps. Yeux à gauche.*) Le sac aussi est là, le même que toujours, je le vois. (*Yeux à droite. Plus fort.*) Le sac est là, Willie, pas une ride, celui que tu me donnas ce jour-là… pour faire mon marché. (*Un temps. Yeux de face.*) Ce jour-là. (*Un temps.*) Quel jour-là ? (*Un temps.*) Je priais autrefois. (*Un temps.*) Je dis, je priais autrefois. (*Un temps.*) Oui, j'avoue. (*Sourire.*) Plus maintenant. (*Sourire plus large.*) Non non. (*Fin du sourire. Un temps.*) Autrefois… maintenant… comme c'est dur, pour l'esprit. (*Un temps.*) Avoir été toujours celle que je suis — et être si différente de celle que j'étais. (*Un temps.*) Je suis l'une, je dis l'une, puis l'autre. (*Un temps.*) Tantôt l'une, tantôt l'autre. (*Un temps.*) Il y a si peu qu'on puisse dire. (*Un temps.*) On dit tout. (*Un temps.*) Tout ce qu'on peut. (*Un temps.*) Et pas un mot de vrai nulle part. (*Un temps.*) Mes bras. (*Un temps.*) Mes seins. (*Un temps.*) Quels bras ? (*Un temps.*) Quels seins ? (*Un temps.*) Willie. (*Un temps.*) Quel Willie ? (*Affirmative avec véhémence.*) Mon Willie ! (*Yeux à droite. Appelant.*) Willie ! (*Un temps. Plus fort.*) Willie ! (*Un temps. Yeux de face.*) Enfin, ne pas savoir, ne pas savoir de façon certaine, grande bonté, tout ce que je demande. (*Un temps.*) Hé oui... autrefois... maintenant... ombre verte... ceci... Charlot... baisers... ceci... tout ça... très troublant pour l'esprit. (*Un temps.*) Mais le mien n'en est pas troublé. (*Sourire.*) Plus maintenant. (*Sourire plus large.*) Non non. (*Fin du sourire. Un temps. Elle ferme les yeux. Sonnerie perçante. Elle ouvre les yeux aussitôt. Un temps.*) Je revois des yeux... et je les vois se fermer... tranquilles... pour voir tranquilles. (*Un temps.*) Pas les miens. (*Sourire.*) Plus maintenant. (*Sourire plus large.*) Non non. (*Fin du sourire. Un temps.*) Willie. (*Un temps.*) La terre, Willie, tu crois qu'elle a perdu son atmosphère ? (*Un temps.*) Tu crois, Willie ? (*Un temps.*) Tu n'as pas d'opinion ? (*Un temps.*) Eh bien, c'est bien toi, tu n'as jamais eu d'opinion, sur quoi que ce soit. (*Un temps.*) C'est compréhensible. (*Un temps.*) Très. (*Un temps.*) Le globe. (*Un temps.*) Je me demande quelquefois. (*Un temps.*) Peut-être pas toute. (*Un temps.*) Il reste toujours quelque

chose. (*Un temps.*) De toute chose. (*Un temps.*)
Quelques restes. (*Un temps.*) Si la raison som-
brait. (*Un temps.*) Elle ne le fera pas bien sûr.
(*Un temps.*) Pas tout à fait. (*Un temps.*) Pas la
mienne. (*Sourire.*) Plus maintenant. (*Sourire
plus large.*) Non non. (*Fin du sourire. Un
temps.*) Ça pourrait être le froid éternel. (*Un
temps.*) La glace éternelle. (*Un temps.*) Simple
hasard, je présume, heureux hasard. (*Un
temps.*) Ah oui, de grandes bontés, de grandes
bontés. (*Un temps.*) Et maintenant ? (*Un
temps.*) Le visage. (*Un temps.*) Le nez. (*Elle
louche vers le nez.*) Je le vois... (*louchant*)... le
bout... les narines... souffle de vie... cette
courbe que tu prisais tant... (*elle allonge les
lèvres*)... une ombre de lèvre... (*elle les
allonge*)... si je fais la moue... (*elle tire la langue*)... la langue bien sûr... (*elle la tire*)... que
tu goûtais tant... (*elle la tire*)... si je la tire...
(*elle la tire*)... le bout... (*elle lève les yeux*)...
un rien de front... de sourcil... imagination
peut-être... (*yeux à gauche*)... la joue... non...
(*yeux à droite*)... non... (*elle gonfle les joues*)...
même si je les gonfle... (*yeux à gauche, elle
gonfle les joues*)... non... non... vermeil ber-
nique. (*Yeux de face.*) C'est tout. (*Un temps.*)

Le sac bien sûr. (*Yeux à gauche.*) Un peu flou... mais le sac. (*Yeux de face. Nonchalante.*) La terre bien sûr et le ciel. (*Yeux à droite.*) L'ombrelle que tu me donnas... ce jour-là... (*un temps*)... ce jour-là... le lac... les roseaux. (*Yeux de face. Un temps.*) Quel jour-là ? (*Un temps.*) Quels roseaux ? (*Un temps long. Elle ferme les yeux. Sonnerie perçante. Elle ouvre les yeux aussitôt. Un temps. Yeux à droite.*) Brownie bien sûr. (*Un temps.*) Tu te rappelles Brownie, Willie, je le vois. (*Un temps. Plus fort.*) Brownie est là, Willie, à côté de moi. (*Un temps. Encore plus fort.*) Brownie est là, Willie. (*Un temps. Yeux de face.*) C'est tout. (*Un temps.*) Que ferais-je sans eux ? (*Un temps.*) Que ferais-je sans eux, quand les mots me lâchent ? (*Un temps.*) Regarder devant moi, les lèvres rentrées ? (*Un temps long pendant qu'elle le fait.*) Je ne peux pas. (*Un temps.*) Ah oui, de grandes bontés, de grandes bontés. (*Un temps long. Bas.*) Quelquefois j'entends des bruits. (*Expression d'écoute. Voix normale.*) Mais pas souvent. (*Un temps.*) Je les bénis, je bénis les bruits, ils m'aident à... tirer ma journée. (*Sourire.*) Le vieux style ! (*Fin du sourire.*) Oui, ce sont de beaux jours, les jours où il y a des bruits. (*Un temps.*) Où j'entends des bruits. (*Un temps.*) Je pensais autrefois… (*un temps*)… je dis, je pensais autrefois qu'ils étaient dans ma tête. (*Sourire.*) Mais non. (*Sourire plus large.*) Non non. (*Fin du sourire.*) Ça c'était la logique. (*Un temps.*) La raison. (*Un temps.*) Je n'ai pas perdu la raison. (*Un temps.*) Pas encore. (*Un temps.*) Pas toute. (*Un temps.*) Il m'en reste. (*Un temps.*) Des bruits. (*Un temps.*) Comme des petits… effritements, des petits… éboulements. (*Un temps. Bas.*) Ce sont les choses, Willie. (*Un temps. Voix normale.*) Dans le sac, hors le sac. (*Un temps.*) Ah oui, les choses ont leur vie, voilà ce que je dis toujours, les *choses* ont une vie. (*Un temps.*) Ma glace, par exemple, elle n'a pas besoin de moi. (*Un temps.*) Et quand ça sonne. (*Un temps.*) Ça fait mal, comme une lame. (*Un temps.*) Une gouge. (*Un temps.*) On ne peut pas rester sourd. (*Un temps.*) Que de fois j'ai dit… (*un temps*)… je dis, que de fois j'ai dit, Reste sourde, Winnie, t'occupe pas, dors et veille, dors et veille, comme ça te chante, ouvre et ferme les yeux, comme ça te chante, ou comme ça t'arrange le mieux. (*Un temps.*) Ouvre et ferme les yeux, Winnie, ouvre

et ferme, toujours ça. (*Un temps.*) Mais non.
(*Sourire.*) Plus maintenant. (*Sourire plus large.*)
Non non. (*Fin du sourire. Un temps.*) Et maintenant ? (*Un temps.*) Et maintenant, Willie ?
(*Un temps long.*) Il y a mon histoire bien sûr,
quand tout fait défaut. (*Un temps.*) Une vie.
(*Sourire.*) Une longue vie. (*Fin du sourire.*)
Commençant dans la matrice, comme au
temps jadis, Mildred se souvient, elle se sou-
viendra, de la matrice, avant de mourir, la
matrice maternelle. (*Un temps.*) Elle a déjà
quatre ou cinq ans et vient de se voir offrir
une grande poupée de cire. Tout habillée,
ensemble complet. (*Un temps.*) Souliers, soc-
quettes, dessous à trous-trous, jeu complet,
jupette bergère, gants. (*Un temps.*) Ajourés
blancs. (*Un temps.*) Petit chapeau de paille
blanc, avec élastique. (*Un temps.*) Collier de
perles. (*Un temps.*) Petit livre d'images avec
légendes en vrais caractères à mettre sous le
bras quand elle fait sa promenade. (*Un temps.*)
Yeux bleu pervenche qui s'ouvrent et se fer-
ment. (*Ton narrateur.*) Le soleil dépassait à
peine l'horizon que Millie se leva, descendit…
(*un temps*)… mit son petit peignoir, descendit
toute seule l'escalier abrupt, à quatre pattes à

72

reculons, quoique cela lui fût défendu, entra dans... (*un temps*)... franchit sur la pointe des pieds le corridor silencieux, entra dans la nursery et se mit à déshabiller Fifille. (*Un temps.*) S'enfila sous la table et se mit à déshabiller Fifille. (*Un temps.*) La grondant cependant. (*Un temps.*) Soudain une souris — (*Un temps long.*) Doucement, Winnie. (*Un temps long. Appelant.*) Willie ! (*Un temps. Plus fort.*) Willie ! (*Ton de reproche amène.*) Par moments je trouve ton attitude un peu étrange, Willie, ça ne te ressemble pas d'être cruel sans nécessité. (*Un temps.*) Étrange ? (*Un temps.*) Non. (*Sourire.*) Pas ici. (*Sourire plus large.*) Plus maintenant. (*Fin du sourire.*) Et pourtant — (*Soudain inquiète.*) Pourvu qu'il ne se passe rien ! (*Yeux à droite. Fort.*) Est-ce que tout va bien, mon chéri ? (*Un temps. Yeux de face.*) Plaise à Dieu qu'il ne se soit pas enfilé la tête la première ! (*Yeux à droite. Fort.*) Tu n'es pas bloqué, Willie ? (*Un temps. De même.*) Tu n'es pas coincé, Willie ? (*Un temps. Yeux de face. Expression de détresse.*) Peut-être qu'il appelle à lui, pendant tout ce temps, sans que je l'entende. (*Un temps.*) Bien sûr, j'entends des cris. (*Un temps.*) Mais ils sont dans ma tête, non ? (*Un temps.*) Est-ce possible que — (*Un temps. Avec assurance.*) Non non, ma tête est pleine de cris, depuis toujours. (*Un temps.*) De faibles cris confus. (*Un temps.*) Ils viennent. (*Un temps.*) Puis s'en vont. (*Un temps.*) Comme au gré du vent. (*Un temps.*) Ça que je trouve si merveilleux. (*Un temps.*) Ils cessent. (*Un temps.*) Ah oui, de grandes bontés, de grandes bontés. (*Un temps.*) La journée est maintenant bien avancée. (*Sourire. Fin du sourire.*) Et cependant il est encore un peu tôt, sans doute, pour ma chanson. (*Un temps.*) Chanter trop tôt est funeste, je trouve toujours. (*Un temps.*) D'un autre côté, il vous arrive de trop attendre. (*Un temps.*) Ça sonne, pour le sommeil, et on n'a pas chanté. (*Un temps.*) La journée tout entière a fui — (*sourire, fin du sourire*) — sans retour, et pas la moindre chanson de quelque sorte que ce soit. (*Un temps.*) Il y a un problème ici. (*Un temps.*) On ne peut pas chanter… comme ça, non. (*Un temps.*) Ça monte aux lèvres, on ne sait pourquoi, le moment est mal choisi, on ravale. (*Un temps.*) On dit, C'est le moment, c'est maintenant ou jamais, et on ne peut pas. (*Un temps.*) Peut pas chanter, tout bonne-

ment. (*Un temps.*) Pas une note. (*Un temps.*)
Autre chose, Willie, avant de passer à autre
chose. (*Un temps.*) La tristesse après chanter.
(*Un temps.*) As-tu connu ça, Willie ? (*Un
temps.*) Au cours de ton expérience ? (*Un
temps.*) Non ? (*Un temps.*) La tristesse au sortir des rapports sexuels intimes, celle-là nous
est familière, certes. (*Un temps.*) Là-dessus tu
serais d'accord avec Aristote, Willie, je pense.
(*Un temps.*) Oui, celle-là nous la connaissons
et savons y faire front. (*Un temps.*) Mais après
chanter... (*Un temps.*) Elle ne dure pas bien
sûr. (*Un temps.*) Ça que je trouve si merveilleux. (*Un temps.*) Elle se dissipe. (*Un temps.*)
Quels sont ces vers exquis ? (*Un temps.*) Tout...
ta-la-la... tout s'oublie... la vague... non...
délie... tout ta-la-la tout se délie... la vague...
non... flot... oui... le flot sur le flot s'oublie...
replie... oui... le flot sur le flot se replie... et
le flot... non... vague... oui... et la vague qui
passe oublie... oublie... (*Un temps. Avec un
soupir.*) On perd ses classiques. (*Un temps.*)
Oh pas tous. (*Un temps.*) Une partie. (*Un
temps.*) Il en reste une partie. (*Un temps.*) Ça
que je trouve si merveilleux, qu'il vous en
reste une partie, de vos classiques, pour vous

aider à tirer votre journée. (*Un temps.*) Ah oui,
abondance de bontés. (*Un temps.*) Et maintenant ? (*Un temps.*) Et maintenant, Willie ?
(*Un temps long.*) J'appelle devant l'œil de
l'esprit… Monsieur Piper… ou Cooker. (*Elle
ferme les yeux. Sonnerie perçante. Elle ouvre
les yeux aussitôt. Un temps.*) Main dans la
main, sacoches. (*Un temps.*) Entre deux âges.
(*Un temps.*) Plus jeunes, pas vieux. (*Un
temps.*) Plantés là à me fixer, bouche bée. (*Un
temps.*) Pas mal la poitrine, dit-il, j'ai vu pis.
(*Un temps.*) Pas mal les épaules, dit-il, j'ai vu
pires. (*Un temps.*) Est-ce qu'elle sent ses
jambes ? dit-il. (*Un temps.*) Est-ce que ça vit
encore, ses jambes ? dit-il. (*Un temps.*) Est-ce
qu'elle est à poil là-dedans ? dit-il. (*Un temps.*)
Demande-lui, dit-il, moi je n'ose pas. (*Un
temps.*) Lui demander quoi ? dit-elle. (*Un
temps.*) Si ça vit encore, ses jambes. (*Un
temps.*) Si elle est à poil là-dedans. (*Un temps.*)
Demande-lui toi-même, dit-elle. (*Soudain violente.*) Lâche-moi sacré nom de Dieu et
croule ! (*Un temps. De même.*) Crève ! (*Sourire.*) Mais non. (*Sourire plus large.*) Non non.
(*Fin du sourire.*) Je les regarde s'éloigner. (*Un
temps.*) Main dans la main, sacoches. (*Un

76

temps.) Flous. Puis plus. (*Un temps.*) Derniers humains — à s'être fourvoyés par ici. (*Un temps.*) Jusqu'ici. (*Un temps.*) Et maintenant ? (*Un temps. Bas.*) À moi. (*Un temps. De même.*) À moi, Willie. (*Un temps. De même.*) Non ? (*Un temps long.*) Soudain une souris… (*Un temps. Ton narrateur.*) Soudain une souris… sur sa petite cuisse… plus haut… plus haut… et Mildred, lâchant Fifille dans son épouvante, se mit à crier — (*Winnie pousse un cri perçant*) — et cria et cria — (*Winnie crie deux fois*) — cria et cria jusqu'à ce qu'ils accourent tous, dans leurs vêtements de nuit, Papa, Maman, Bibbie et la vieille… Annie, pour voir ce qui n'allait pas, ce que ça pouvait bien être mon Dieu mon Dieu qui n'allait pas. (*Un temps.*) Trop tard. (*Un temps. Bas.*) Trop tard. (*Un temps long. À peine audible.*) Willie. (*Un temps. Voix normale.*) Enfin plus pour longtemps, Winnie, ça va sonner, pour le sommeil. (*Un temps.*) Alors tu pourras fermer les yeux, alors tu devras fermer les yeux, et ne plus les ouvrir. (*Un temps.*) Pourquoi redire ça ? (*Un temps.*) Je pensais autrefois… (*un temps*)… je dis, je pensais autrefois qu'il n'y avait jamais aucune différence entre une fraction de seconde et la

suivante. (*Un temps.*) Je me disais autrefois…
(*un temps*)… je dis, je me disais autrefois,
Winnie, tu ne changeras jamais, il n'y a jamais aucune différence entre une fraction de
seconde et la suivante. (*Un temps.*) Pourquoi
reparler de ça ? (*Un temps.*) Il y a si peu dont
on puisse reparler. (*Un temps.*) On reparle de
tout. (*Un temps.*) De tout ce dont on peut. (*Un
temps.*) Mon cou me fait mal. (*Un temps. Soudain violente.*) Mon cou me fait mal ! (*Un
temps.*) Ah ça va mieux ! (*Ton légèrement
irrité.*) De la mesure en toute chose. (*Un
temps.*) Je ne peux plus rien faire. (*Un temps.*)
Plus rien dire. (*Un temps.*) Mais je dois dire
plus. (*Un temps.*) Problème ici. (*Un temps.*)
Non, il faut que ça bouge, quelque chose, dans
le monde, moi c'est fini. (*Un temps.*) Un
zéphyr. (*Un temps.*) Un souffle. (*Un temps.*)
Quels sont ces vers immortels ? (*Un temps.*) Ça
pourrait être le noir éternel. (*Un temps.*) Nuit
noire sans issue. (*Un temps.*) Simple hasard,
je présume, heureux hasard. (*Un temps.*) Ah
oui, abondance de bontés. (*Un temps long.*)
Et maintenant ? (*Un temps.*) Et maintenant,
Willie ? (*Un temps long.*) Ce jour-là. (*Un temps.*)
Le champagne rose. (*Un temps.*) Les verres

flûtes. (*Un temps.*) Enfin seuls. (*Un temps.*) La dernière rasade, les corps se touchant presque. (*Un temps.*) Le regard. (*Un temps long.*) Quel jour-là ? (*Un temps.*) Quel regard ? (*Un temps long.*) J'entends des cris. (*Un temps.*) Chante. (*Un temps.*) Chante ta vieille chanson, Winnie.

Un temps long. Soudain expression d'écoute. Yeux à droite. La tête de Willie apparaît à sa droite, au pied du mamelon, au-dessus de la pente. Il est à quatre pattes, en tenue de céré-monie — haut de forme, habit, pantalon rayé, etc., gants blancs à la main. Longue moustache blanche et droite très fournie. Il regarde devant lui, se flatte la moustache. Il sort complètement de derrière le mamelon, tourne à sa gauche, s'arrête, lève les yeux vers Winnie. Il avance à quatre pattes vers le centre, s'arrête, tourne la tête de face, regarde devant lui, se flatte la moustache, rajuste sa cravate, affermit son cha-peau, etc., avance un peu plus, s'arrête, ôte son chapeau et lève les yeux vers Winnie. Il est maintenant près du centre et dans son champ de vision. Ne pouvant plus soutenir l'effort de regarder en l'air il baisse la tête jusqu'à terre.

WINNIE. — (*Mondaine.*) Ça par exemple ! Voilà un plaisir auquel je ne m'attendais guère. (*Un temps.*) Ça me rappelle le printemps où tu venais me geindre ton amour. (*Un temps.*) Winnie, sois à moi, je t'adore ! (*Il lève les yeux vers elle.*) La vie une dérision sans Win ! (*Elle éclate de rire.*) Quel épouvantail, parler de chie-en-lit ! (*Elle rit.*) Où sont les fleurs ? (*Un temps.*) D'un jour. (*Willie baisse la tête.*) Qu'est-ce que tu as au cou ? Un anthrax ? (*Un temps.*) Faut surveiller ça, Willie, avant d'être envahi. (*Un temps.*) Où est-ce que tu étais tout ce temps ? (*Un temps.*) Qu'est-ce que tu faisais tout ce temps ? (*Un temps.*) Ta toilette ? (*Un temps.*) Tu ne m'as pas entendu crier ? (*Un temps.*) Tu t'étais coincé dans ton trou ? (*Il lève les yeux vers elle.*) C'est ça, Willie, regarde-moi. (*Un temps.*) Repais tes vieux yeux, Willie. (*Un temps.*) Il en reste quelque chose ? (*Un temps.*) Quelques restes ? (*Un temps.*) Je n'ai pas pu refaire ma beauté, tu sais. (*Il baisse la tête.*) Toi tu es encore reconnaissable, en un sens. (*Un temps.*) Tu penses venir vivre de ce côté main-tenant… une petite saison peut-être ? (*Un temps.*) Non ? (*Un temps.*) Tu ne faisais que passer ? (*Un temps.*) Tu es devenu sourd, Willie ? (*Un temps.*) Muet ? (*Un temps.*) Oh je sais, tu n'as jamais été causant, Winnie sois à moi je t'adore et finie fleurette, la parole est aux offres et demandes. (*Yeux de face.*) Enfin quelle importance, ça aura été quand même un beau jour, après tout, encore un. (*Un temps.*) Plus pour longtemps, Winnie. (*Un temps.*) J'entends des cris. (*Un temps.*) Ça t'arrive, Willie, d'entendre des cris ? (*Un temps.*) Non ? (*Yeux à droite sur Willie.*) Regarde-moi encore, Willie. (*Un temps.*) Encore une fois, Willie. (*Il lève les yeux vers elle. Heureuse.*) Ah ! (*Un temps. Choquée.*) Qu'est-ce que tu as, jamais vu une tête pareille ! (*Un temps.*) Couvre-toi, chéri, c'est le soleil, pas de chichis, je permets. (*Il lâche chapeau et gants et commence à grimper vers elle. Joyeuse.*) Oh mais dis donc, c'est fantastique ! (*Il s'immobilise, une main s'agrippant au mamelon, l'autre jetée en avant.*) Allons, mon cœur, du nerf, vas-y, je t'applaudirai. (*Un temps.*) C'est moi que tu vises, Willie, ou c'est autre chose ? (*Un temps.*) Tu voulais me toucher… le visage… encore une fois ? (*Un temps.*) C'est un baiser que tu vises, Willie, ou c'est autre chose ? (*Un temps.*) Il fut une époque où j'aurais pu te donner un coup de main. (*Un temps.*) Et une autre, avant, où je te donnais un coup de main. (*Un temps.*) Tu avais toujours bougrement besoin d'un coup de main. (*Il lâche prise, dégringole en bas du mamelon.*) Brrroum ! (*Il se remet à quatre pattes, lève les yeux vers elle.*) Essaie encore une fois, Willie, je t'acclamerai. (*Un temps.*) Ne me regarde pas comme ça. (*Un temps. Véhémente.*) Ne me regarde pas comme ça ! (*Un temps. Bas.*) As-tu perdu la raison, Willie ? (*Un temps. De même.*) Tes pauvres vieux restes de raison ?

Un temps.

WILLIE. — (*Bas.*) Win.

Un temps. Les yeux de Winnie reviennent de face. Expression heureuse.

WINNIE. — Win ! (*Un temps.*) Oh le beau jour encore que ça aura été. (*Un temps.*) Encore un. (*Un temps.*) Après tout. (*Fin de l'expression heureuse.*) Jusqu'ici.

Un temps. Elle s'essaie à chantonner le début de l'air, celui de la boîte à musique, puis chante doucement.

> Heure exquise
> Qui nous grise
> Lentement,
> La caresse,
> La promesse
> Du moment,

L'ineffable étreinte
De nos désirs fous,
Tout dit, Gardez-moi
Puisque je suis à vous.

Un temps. Elle ferme les yeux. Sonnerie perçante. Elle ouvre les yeux aussitôt. Elle sourit, yeux de face. Yeux à droite sur Willie, toujours à quatre pattes, le visage levé vers elle. Fin du sourire. Ils se regardent. Temps long.

RIDEAU

OUVRAGES DE SAMUEL BECKETT
Aux Éditions de Minuit

CET OUVRAGE À ÉTÉ COMPOSÉ PAR
NORD COMPO MULTIMÉDIA À VILLENEUVE-D'ASQ (59650)
ET ACHEVÉ D'IMPRIMER LE
DIX-SEPT SEPTEMBRE DEUX MILLE DIX-NEUF
DANS LES ATELIERS DE NORMANDIE ROTO IMPRESSION S.A.S.
À LONRAI (61250) (FRANCE)
Nº D'ÉDITEUR : 6482
Nº D'IMPRIMEUR : 1904409

Dépôt légal : septembre 2019